Hernandes Dias Lopes

Mulher nota 10

nota

Os passos de uma

mulher bem sucedida

UNITED PRESS
um selo editorial hagnos

©2013 por Hernandes Dias Lopes

Revisão
Josemar de Souza Pinto
Raquel Fleischner

Capa
Maquinaria Studio

Diagramação
Catia Soderi

1ª edição - fevereiro de 2013
Reimpressão - abril de 2013
Reimpressão - março de 2015

Editor
Juan Carlos Martinez

Coordenador de produção
Mauro W. Terrengui

Impressão e acabamento
Imprensa da Fé

Todos os direitos desta edição reservados para:
Editora Hagnos
Av. Jacinto Júlio, 27
04815-160 - São Paulo - SP - Tel. (11) 5668-5668
hagnos@hagnos.com.br - www.hagnos.com.br

Dados Internacionais de Catalogação na Publicação (CIP)

(Câmara Brasileira do Livro, SP, Brasil)

Lopes, Hernandes Dias
Mulher nota 10 / Hernandes Dias Lopes, -- São Paulo : Hagnos, 2013.

ISBN 978-85-63563-52-1

1. Mulheres - Conduta de vida 2. Mulheres - Ensino bíblico
3. Mulheres na Bíblia 4. Vida cristã I. Título

12-15087   CDD-248.843

Índices para catálogo sistemático:

1. Mulheres : Guias de vida cristã : Cristianismo 248.843

Editora associada à:

Dedicatória

Dedico este livro a duas mulheres muito importantes em minha vida: minha esposa, Udemilta, e minha filha, Mariana. Elas são um deleite para minha alma e uma alegria para o meu coração.

Sumário

Prefácio

Este livro foi escrito para você, mulher! Não que os homens não possam ser edificados com essa mensagem. Podem e devem. Na verdade, nós, homens, precisaríamos conhecer melhor as mulheres, para tratá-las com mais dignidade e valorizá-las com mais apreço. O foco, porém, deste livro são as mulheres.

A Bíblia revela as pessoas sem os cosméticos da superficialidade. Expõe suas virtudes sem esconder seus defeitos. Proclama suas obras sem ocultar suas fraquezas. A mulher virtuosa, descrita em Provérbios 31, porém, é retratada como uma pessoa real, com virtudes reais, como modelo para todas as mulheres, em todos os lugares, em todos os tempos. Sua vida e seus relacionamentos brilham como o fulgor do firmamento. Suas virtudes são apresentadas com uma beleza rara, com uma eloquência singular, como uma canção doce aos ouvidos e suave à alma.

Essa mulher tem a doçura de um anjo e a força de um gigante. Tem a sabedoria de um erudito e a destreza de um guerreiro. Tem a desenvoltura de um perito governante e a candura de uma mãe cheia de afeto. Tem o tirocínio de uma empresária bem-sucedida e a meiguice de uma esposa afetuosa. Sua relação exemplar como esposa é enaltecida em grau superlativo. Seu investimento na vida dos filhos é recompensado regiamente. Suas obras endereçadas à família dentro do lar e ao próximo fora dele tornam-se trombetas altissonantes a proclamar seus feitos publicamente. Essa mulher é paradigma como hábil administradora e serva fiel. Sua vida conjugal e sua vida espiritual espargem sua luz como um farol potentíssimo ainda em nossa geração. Seu exemplo moral transpõe os séculos e serve de luzeiro para nossa geração que vive numa lôbrega penumbra de relativismo moral.

A Bíblia nos fala sobre muitas mulheres que marcaram seu tempo. Lembramo-nos de Débora, a intrépida guerreira. Evocamos o exemplo de Rute, a moabita, que revelou acendrado e abnegado amor por sua sogra, Noemi, em tempos de aflição, e saiu do anonimato para fazer parte da genealogia do Messias. Lembramo-nos de Ana, mulher de Elcana, que, por não desistir de seus sonhos, viu o milagre de Deus tornar-se história em sua vida. Lemos sobre Maria, que ainda jovem, dispôs-se a correr todos os riscos para aceitar alegremente o projeto de Deus e ser a mãe do Salvador.

A História está repleta de exemplos de mulheres extraordinárias. Mônica, mãe de Aurélio Agostinho, orou por ele trinta anos, até ver sua conversão. Ambrósio, disse mais tarde, que um filho de tantas lágrimas jamais poderia perecer. Agostinho foi levantado por Deus nos primórdios da igreja, para ser o seu mais ilustre teólogo. A mulher de Martinho Lutero, muitas vezes, o confortou com santo encorajamento, nas horas mais escuras de suas lutas renhidas. Susana Wesley foi mãe de dezenove filhos, dos quais apenas dez atingiram a idade adulta. Mesmo com sérios problemas financeiros, influenciou profundamente a vida espiritual de todos eles e manteve correspondência semanal com seu filho João Wesley, exercendo grande influência sobre sua vida, sobre a Igreja Metodista e sobre toda a igreja da Europa.

Queira Deus que muitas outras mulheres corajosas, consagradas e fiéis sejam levantadas por Deus em nossa geração. Meu mais ardente desejo é que este livro seja uma fagulha divina a inflamar seu coração e acender brasas vivas em sua alma, para que do altar de sua vida subam à presença de Deus orações fervorosas.

Minha ardente oração é que você, mulher, ao examinar essa despretensiosa obra, possa sentir-se estimulada a perseguir o mesmo caminho da virtude e colocar os pés nessa mesma vereda da bem-aventurança, sendo vaso de honra nas mãos de Deus e instrumento de bênção no seu lar e fora dele. Que seu relacionamento com Deus, com seu marido e com seus filhos marque profundamente sua família e toda a sociedade. Que você seja a mulher virtuosa de nossa geração, amada por Deus, elogiada pelo marido, enaltecida pelos filhos e conhecia pelas suas próprias obras!

Hernandes Dias Lopes

Introdução

A mulher é a última e mais esplêndida obra feita por Deus na criação. Quando Deus fez o homem, colocou a mão no barro; quando criou a mulher, usou uma matéria-prima melhorada. A mulher veio do homem, e o homem vem da mulher. Embora o homem e a mulher sejam diferentes, não estão em oposição; completam-se. A mulher não foi tirada da cabeça do homem para comandá-lo nem dos seus pés para ser dominada por ele, mas da sua costela para estar ao seu lado; perto do coração para ser o centro de seus afetos e debaixo do seu braço para ser por ele amparada.

A mulher é considerada vaso mais frágil. Isso não significa que ela seja o sexo mais frágil. Ao contrário, ela é o sexo mais forte. As mulheres sempre foram mais heroínas do que os homens. Suportam com mais galhardia o sofrimento do que os homens. Fazem mais sacrifícios do que os homens. São mais desprendidas do que os homens.

A Bíblia diz que a mulher sábia edifica a sua casa (Pv 14.1). A mulher é o elo da família. Tem a capacidade de costurar a unidade familiar. Quando uma mulher fica viúva, ela consegue manter a família coesa. Quando o homem fica viúvo, raramente consegue a mesma façanha. A Bíblia diz que a mulher é como uma videira frutífera dentro do lar, e seus filhos, como rebentos de oliveira ao redor da mesa (Sl 128.3). É a mulher que inspira e costura essa unidade.

O grande estadista americano Abraham Lincoln disse com esmerada precisão que as mãos que embalam o berço governam o mundo. Ninguém exerce maior influência sobre a vida de um filho do que uma mãe. É a mãe que passa a maior parte do tempo com os filhos na fase mais importante da sua vida. É a mãe que inculca em sua mente as verdades que vão governar sua vida na fase adulta. Foi assim com Joquebede, mãe de Moisés. Naquela época, quando nascia um menino israelita, ele já estava sentenciado à morte. A espada dos soldados de Faraó não poupavam os meninos hebreus. Outras crianças eram jogadas aos crocodilos do rio Nilo. Joquebede entendeu, porém, que as águas do Nilo não seriam a sepultura de seu filho, mas o caminho de sua salvação. Quis a providência divina que esse menino salvo das águas fosse parar nos braços de sua própria mãe, e os poucos anos em que ela o nutriu com o leite da piedade ajudaram Moisés a tomar as mais importantes decisões da sua vida. Moisés preferiu o opróbrio do povo de Deus às glórias do Egito. Mas, quando Moisés aprendeu essas prioridades? Certamente não foi estudando as ciências do Egito, nem perlustrando suas academias eruditas. Mas quando estava assentado aos pés de sua mãe, na tenra infância.

Destacaremos, a seguir, o perfil de uma mulher cuja vida é uma joia bordejada de ricos diamantes, cujo testemunho é um estandarte que tremula na História, cujas virtudes são dignas dos maiores elogios. A Bíblia a chama de mulher virtuosa.

As qualidades superlativas dessa mulher são refletidas nos seus relacionamentos. Vejamos.

1

A RELAÇÃO DA
mulher nota 10
COM SEU MARIDO

A mulher nota 10 é um paradigma. Sua vida conjugal é um exemplo. Seu relacionamento com o marido reflete a nobreza do seu caráter, a doçura de seu temperamento e o encanto de sua personalidade.

Mulher virtuosa, quem a achará? O seu valor muito excede o de finas joias. O coração do seu marido confia nela, e não haverá falta de ganho. Ela lhe faz bem e não mal, todos os dias de sua vida. Busca lã e linho e de bom grado trabalha com as mãos. É como o navio mercante: de longe traz o seu pão. É ainda noite, e já se levanta, e dá mantimento à sua casa e a tarefa às suas servas. Examina uma propriedade e a adquire; planta uma vinha com as rendas do seu trabalho. Cinge os lombos de força e fortalece os braços. Ela percebe que o seu ganho é bom; a sua lâmpada não se apaga de noite. Estende as mãos ao fuso, mãos que pegam na roca. Abre a mão ao aflito; e ainda a estende ao necessitado. No tocante à sua casa, não teme a neve, pois todos andam vestidos de lã escarlate. Faz para si cobertas, veste-se de linho fino e de púrpura. Seu marido é estimado entre os juízes, quando se assenta com os anciãos da terra. Ela faz roupas de linho fino, e vende-as, e dá cintas aos mercadores. A força e a dignidade são os seus vestidos, e, quanto ao dia de amanhã, não tem preocupações. Fala com sabedoria, e a instrução da bondade está na sua língua. Atende ao bom andamento da sua casa e não come o pão da preguiça. Levantam-se seus filhos e lhe chamam ditosa; seu marido a louva, dizendo: Muitas mulheres procedem virtuosamente. Enganosa é a graça, e vã, a formosura, mas a mulher que teme ao Senhor, essa será louvada. Dai-lhe o fruto das suas mãos, e de público a louvarão as suas obras (Provérbios 31.10-31).

Destacaremos, a seguir, alguns aspectos do convívio da mulher virtuosa com o marido que podem lançar luz sobre os relacionamentos familiares ainda hoje.

Uma mulher fiel a seu marido

A integridade é o alicerce da vida. Não há relacionamentos sólidos e saudáveis sem confiança. Não há casamento feliz sem fidelidade conjugal. A fidelidade conjugal da mulher virtuosa pode ser notada nas seguintes palavras: *O coração do seu marido confia nela...* (Pv 31.11). A infidelidade conjugal é um atentado contra o casamento. É uma conspiração contra a família. É uma avalanche que abala, inunda e soterra as esperanças de um casamento feliz.

Infelizmente existe um esforço concentrado de forças ocultas e até mesmo explícitas que orquestram contra a pureza do casamento. A mídia promove o adultério. As telenovelas brasileiras estimulam a prática sexual antes e fora do casamento. Existem até *sites* especializados em orientar as pessoas insatisfeitas com o casamento a cometer adultério. Os índices de infidelidade conjugal crescem espantosamente. No Brasil cerca de 65% dos homens e 32% das mulheres já traíram seu cônjuge. Nos Estados Unidos 75% dos homens e 63% das mulheres já foram infiéis ao cônjuge até a idade dos 40 anos. Esses dados estarrecedores mostram que a instituição do casamento está sofrendo um ataque terrorista e entrando em colapso. Há uma orquestração vil para desconstruir a credibilidade do casamento.

O casamento está se tornando cada vez mais vulnerável em nossa cultura decadente. No primeiro semestre de 2011, só no estado de São Paulo, conforme pesquisa revelada pelo jornal *A Folha de São Paulo,* o índice de divórcio cresceu 286% em apenas seis meses. As pessoas entram para o casamento e deixam a porta dos fundos aberta. Encaram o casamento apenas como um contrato de risco.

Nossa geração desaprendeu o exercício da paciência. Não sabemos lidar mais com as crises. Desistimos de lutar pelo casamento ao primeiro sinal de turbulência. O mais sério é que o divórcio e o novo casamento não são uma solução segura para essa insatisfação, pois as estatísticas provam que, depois de dez anos, mais de 70% das pessoas que se casam novamente descobrem que o segundo casamento foi pior do que o primeiro. Esse é o mito da grama mais verde. É uma espécie de insatisfação crônica com o que se tem e uma busca ilusória daquilo que é proibido. É achar que a vida está pulsando do outro lado do muro e que o desconhecido é sempre melhor do que o que possuímos. Essa miragem falsa tem levado muitos cônjuges para o pântano pestilento da infidelidade, para o calabouço da culpa e para o abismo do divórcio.

A Bíblia diz acerca da mulher virtuosa: "o coração do seu marido confia nela". Não há casamento saudável sem confiança. Não há paz na alma, nem harmonia no casamento, nem serenidade emocional, sem integridade conjugal. A bandeira que deve tremular em todo relacionamento conjugal é o proclamado nas Escrituras: *Eu sou do meu amado, e o meu amado é meu...* (Ct 6.3). O cônjuge precisa ser um jardim fechado, um manancial recluso, uma fonte selada (Ct 4.12).

No passado distante, na China antiga, um príncipe se preparava para assumir o trono. Antes de assumir o comando da sua vasta nação, tomou a decisão de casar-se. Então, promoveu um rico e requintado banquete e convidou as moças mais nobres e mais belas de seu povo para o opíparo jantar. Uma jovem plebeia, filha de uma das serviçais do palácio, muito graciosa, nutria um amor verdadeiro pelo príncipe e desejou ardentemente participar desse luxuoso banquete. Sua mãe a desaconselhou, pois era plebeia e não tinha nem mesmo roupas adequadas para participar daquele requintado encontro. Com muita insistência, a jovem conseguiu fazer parte daquele grupo seleto de beldades. No dia determinado, num salão de rara beleza, reuniram-se as moças mais nobres e mais belas da China, trajando vestes engalanadas. Entre elas, estava aquela jovem pobre, envergando os trajos nobres da dignidade. Para surpresa das moças, o príncipe não escolheu nenhuma delas nesse banquete. Ao contrário, deu a cada uma delas uma semente com a seguinte promessa: "Quem me trouxer daqui a um ano a flor mais bela dessa semente será a minha candidata para o casamento". A jovem pobre foi para casa, comprou um vaso, colocou nele terra e adubo e esperou com ansiedade aquela semente brotar. Na primeira semana, nada aconteceu. Na segunda semana, nenhum sinal de vida. Passou-se um mês, e o vaso estava apenas cheio de terra. Findo o ano, a semente ainda estava mirrada no ventre daquele vaso cheio de terra.

Chegara, enfim o dia de retornar ao palácio. A mãe da jovem plebeia tentou demover sua filha de ir ao encontro. Mas, com refinada educação e firmeza imperturbável, ela disse: "Mamãe, eu quero ir, pois pelo menos verei o príncipe mais uma vez". Tal não foi sua surpresa quando, ao chegar ao banquete, viu as outras moças trazendo cada uma um vaso com flores belíssimas, mimosas, perfumadas, com pétalas aveludadas e multicoloridas. Humildemente, postou-se no final daquela fila tendo nas mãos apenas um vaso cheio de terra. O príncipe, com cavalheirismo irretocável, cumprimentou cada jovem, tecendo os devidos elogios às flores encantadoras. Até que chegou ao final da fila e viu a jovem plebeia com o vaso cheio de terra nas mãos. Para surpresa de todas, fez sua surpreendente e perturbadora declaração: "Eu vou me casar com esta jovem plebeia". As outras todas protestaram, mas o príncipe justificou: "Eu vou me casar com ela, porque a todas vocês eu dei uma semente estéril que não poderia brotar. Somente essa jovem foi fiel comigo. Somente nela eu poderei confiar". Aquela jovem, mesmo trazendo apenas um vaso cheio de terra nas mãos, mostrou ao príncipe a flor da verdade!

Uma mulher aliviadora de tensões

Há muitas mulheres que nunca traíram o marido, mas também nunca lhe devotaram todo o seu amor. São fiéis, mas ao mesmo tempo são um peso. O texto bíblico diz acerca da mulher de Provérbios 31: *Ela lhe faz bem e não mal...* (Pv 31.12). Os biógrafos do grande estadista Abraham Lincoln, o décimo sexto presidente americano, dizem que a maior tragédia na sua vida não foi seu assassinato, mas seu casamento com Mary Todd Lincoln. Ela era uma mulher destemperada emocionalmente. Causava-lhe constantes transtornos e constrangimentos. Chamava o marido de gorila e até café quente jogou em seu rosto na frente de seus ministros. O grande avivalista do século 18, John Wesley lidou, também, com grandes tensões no seu casamento. Sua mulher, às vezes, chegava a ponto de arrastá-lo pelos cabelos. Esse homem, que foi um gigante em seu tempo e ainda influencia milhões de pessoas no mundo inteiro, amargou duro sofrimento dentro do lar, no convívio com sua esposa.

A Bíblia diz que é melhor morar num eirado da casa do que com uma mulher rixosa. A paz de espírito no lugar solitário é melhor do que um relacionamento turbulento. Diz a Palavra de Deus, ainda, que é melhor morar no deserto, um lugar ermo, causticante, inóspito, sem abrigo e água, do que com uma mulher ranzinza. Essa convivência turbulenta é como o gotejar contínuo. Cansa, fatiga, estressa!

O casamento pode ser uma terapia emocional ou um transtorno emocional. Há muitos casamentos que adoecem as pessoas. Há muitas agressões verbais no relacionamento conjugal que esmagam a autoestima. Há muita violência física dentro dos casamentos. Há até assassinatos com requinte de crueldade que chocam as pessoas mais duronas. Em 2012, na cidade de São Paulo, o empresário e proprietário da Yoki, empresa de produtos alimentícios, foi assassinado e esquartejado pela sua mulher, num rico apartamento de cobertura, e depois ensacado e desovado na beira de um lago. Casos assim têm levado muitas pessoas a temer o casamento. Contudo, o casamento é matrimônio, e a palavra "matrimônio" é a mesma coisa que exercer o papel de mãe. O marido deve cuidar da esposa, e a esposa, do marido. Precisam ser bálsamo um para o outro, aliviadores de tensões. O lar precisa ser um verdadeiro abrigo diante das refregas da vida. O lar precisa ser um oásis no deserto, um lugar de vida, um ninho cálido de ternura, o melhor lugar do mundo onde se viver.

A Bíblia diz que a mulher sábia edifica a sua casa (Pv 14.1). A mulher tem a capacidade de agregar a família (Sl 128.3). Ela é o elo dentro do lar. Uma mulher amável no trato, doce nas palavras, firme nas atitudes, nobre no caráter abençoa o marido e enriquece os filhos.

Uma mulher estável emocionalmente

Há mulheres que são românticas num dia e ranzinzas o resto da semana. Mordem de dia e assopram de noite. Dão carinho num momento, mas atormentam o resto do tempo. Vejamos o que a Bíblia diz sobre a mulher virtuosa: *Ela lhe faz bem e não mal, todos os dias da sua vida* (Pv 31.12). Há muitos casamentos que acabam porque a esposa ou o marido são instáveis emocionalmente. Vivem numa gangorra emocional. Um dia estão entusiasmados com o casamento; noutro dia estão encharcados de desânimo. Oscilam entre afeto e desamor. Num dia estão no pico dos montes, olhando os horizontes largos do otimismo; noutro dia estão no vale profundo e escuro do pessimismo.

Há muitos casamentos que são como um pêndulo. Vivem ora num extremo, ora noutro. Distribuem afeto num dia; noutro esbanjam agressividade. A Bíblia fala de Dalila. Ela acariciava Sansão em seu colo, talvez segredando aos seus ouvidos as palavras mais amáveis. Contudo, depois passou a chantageá-lo. No começo a relação era untada com mel; depois passou a ter sabor de fel. O mesmo Sansão que já tivera vitórias esplêndidas, agora sofre sua mais amarga derrota no colo de Dalila. Suas palavras eram doces, mas seu coração era cruel. Sansão perdeu os olhos e também a vida porque se entregou a um relacionamento doentio.

Há muitos casamentos doentes. Há muitos relacionamentos que vivem esse tormento da instabilidade. Certa feita um vendedor ambulante foi à sapataria comprar um par de sapatos. Perguntou ao vendedor:

— Você tem sapato da marca tal?

— Sim — respondeu o vendedor.

— Eu quero um par — pediu o homem.

— Qual é o seu número?

— Traga um par 39, outro 40 e outro 41.

O vendedor trouxe os três pares. O homem calçou todos. Seu número era 41. Porém, estranhamente ficou com o número 39. E saiu da sapataria já com o novo calçado. Seus dedos ficaram enrugados de tão apertados que estavam.

Um ano depois, o mesmo homem voltou à sapataria e perguntou ao mesmo vendedor:

— Tem sapato da marca tal?

— Tem, sim, senhor.

— Eu quero um par.

— Qual o número que o senhor deseja?

— Trinta e nove — respondeu o comprador.

O homem saiu da sapataria com o par de sapatos novos, mas seus dedos estavam quase esmagados, de tão apertados.

No ano seguinte, a cena se repetiu. O homem apareceu novamente e procurou o mesmo vendedor:

— Tem sapato da marca tal?

— Tem, sim, senhor.

— Eu quero um par.

— Lembro-me do senhor. Seu número é 41.

— Sim, mas eu quero um 39.

Nesse momento o vendedor, intrigado com a situação, não aguentou mais a curiosidade e perguntou:

— Posso entender por que o senhor pela terceira vez está comprando a mesma marca de sapato e sempre escolhendo um número tão apertado?

— Sim. É que eu preciso ter pelo menos um alívio quando volto para casa. É o que sinto quando tiro os sapatos apertados!

Há muitas pessoas que não têm alívio quando voltam para casa. Abraham Lincoln costumava ter reuniões até altas horas da madrugada. Não porque gostasse das reuniões, mas porque voltar para casa era um pesadelo. A mulher virtuosa não era uma mulher ranzinza, mal-humorada, rixosa. Ela fazia bem e não mal a seu marido, todos os dias da sua vida. Mesmo nas horas de tensão, ela tinha um ânimo sereno. Mesmo nas tempestades da vida, ela era um porto seguro. Mesmo nos vales escuros, ela era um bálsamo. Lia Luft, articulista da revista *Veja*, disse que em muitos lares está faltando não amor, mas humor. Há muitos lares, onde o ambiente é carregado e o clima é tenso. Precisamos aprender a dar boas gargalhadas dentro de casa. Precisamos viver com mais leveza. Precisamos ser para o nosso cônjuge um aliviador de tensões!

Uma mulher que é alavanca na vida do marido

Ao lado de um grande homem, quase sempre, há uma grande mulher. Não era diferente com a mulher virtuosa: *Seu marido é estimado entre os juízes, quando se assenta com os anciãos da terra* (Pv 31.23). O sucesso profissional desse marido tem muito a ver com o suporte que tem em casa. Um homem que sai de casa para o trabalho sabendo que sua casa está em ordem, que seu lar está bem estruturado, que os sentimentos estão serenados tem muito mais chance de ser mais bem-sucedido nas suas lides. Por outro lado, um homem que vai para o trabalho depois de uma discussão ruidosa com a esposa, deixando para trás relacionamentos feridos e um lar transtornado, não tem paz para trabalhar nem cabeça para avançar em sua profissão. A esposa coloca o marido para a frente ou o arrasta para trás.

Disraeli foi um personagem proeminente na política francesa. Foi um homem culto e muito respeitado em sua nação. Certa feita uma viúva muito rica enviou-lhe uma carta, propondo-lhe casamento. O intelectual respondeu, dizendo que aceitaria o casamento pelo conforto que isso lhe proporcionaria, mas não nutria nenhum amor por ela.

Mesmo sob tais condições, a viúva aceitou a proposta e casou-se com Disraeli. Dez anos depois, Disraeli afirmou que, se possível fosse, se casaria novamente com a mesma mulher, agora sob nova condição: casaria por amor. E justificou: "Ela transformou minha vida num cenário de doçura e nosso lar no melhor lugar do mundo onde se viver".

Uma mulher prudente, sensata e amável abençoa não apenas a vida de seu marido, mas também as demais pessoas que estão à sua volta. A Bíblia fala de Rute, a viúva de Malom, nora de Noemi. Essa jovem mulher moabita é um exemplo clássico de amor cuidadoso e de zelo extremado. A mais bela declaração de amor que encontramos nas Escrituras não foi proferida de um homem para uma mulher, nem de uma mulher para um homem, mas de uma nora para sua sogra, mesmo sendo essa sogra viúva, velha, pobre e estrangeira. Noemi estava deixando Moabe e retornando para Belém. Voltava com a alma inundada de dor e com o coração cheio de mágoa. Voltava com perdas imensas. Voltava com queixas profundas contra Deus. Ao sair de Moabe, suas noras Rute e Orfa a acompanham. Porém, Noemi constrangeu ambas e retornarem para seus deuses e para suas famílias. Afirmou que não tinha nada para lhes oferecer, nem mesmo a mais minguada esperança. Orfa retornou à sua parentela e aos seus deuses, mas Rute apegou-se à sua sogra e lhe disse:

> Não me instes para que te deixe e me obrigue a não seguir-te; porque, aonde quer que tu fores, irei eu e, onde quer que pousares, ali pousarei eu; o teu povo é o meu povo, o teu Deus é o meu Deus. Onde quer que morreres, morrerei eu e aí serei sepultada; faça-me o SENHOR o que bem lhe aprouver, se outra coisa que não seja a morte me separar de ti (Rt 1.16,17).

Rute tornou-se a provedora de sua sogra. Por providência divina casou-se com o rico Boaz e veio a ser mãe de Obede, pai de Jessé, pai de Davi. Rute fez parte da própria linhagem do Messias. As mulheres de Belém chegaram a dizer a Noemi que Rute era melhor do que sete filhos para ela (Rt 4.15).

Uma mulher elogiada pelo marido

A mulher virtuosa comprova o princípio de que aquilo que semeamos, isso também colhemos. Quem semeia com fartura, com abundância também ceifará. Ela semeou integridade, e colheu respeito. Semeou afeto, e colheu amor. Semeou integridade, e colheu reconhecimento. Vejamos o registro bíblico: Seu marido a louva, dizendo: *Muitas mulheres procedem virtuosamente, mas tu a todas sobrepujas* (Pv 31.29).

O elogio é um componente importantíssimo no relacionamento conjugal. O amor precisa ser verbalizado e demonstrado. Cânticos dos Cânticos fala sobre isso nestes termos: *Tu és toda formosa, querida minha, e em ti não há defeito* (Ct 4.7). Obviamente não existe nenhuma pessoa sem defeito. Por que, então, esse elogio superlativo? Porque o amor não foca os defeitos do cônjuge, mas suas virtudes. O papel do cônjuge não é ser um detetive. Equivocam-se aqueles que pensam que podem melhorar o cônjuge investigando seus pontos negativos para corrigi-los. Um elogio vale mais do que mil críticas. Um gesto de afeto vale mais do que mil palavras. O papel do cônjuge não é ser um arqueólogo, vasculhando o passado em busca de alguma revelação para o presente. O amor cobre multidão de pecados.

Qual foi a última vez que você elogiou sua esposa? Qual foi a última vez que você enalteceu suas virtudes? Qual foi a última vez que você demonstrou seu carinho de forma particular? Qual foi a última vez que você a honrou em público? O marido da mulher virtuosa a louva. Fala de seus atributos e de seu valor. Não é um homem obcecado pela paixão, a ponto de enxergar todas as virtudes no cônjuge e todos os defeitos nas outras mulheres. Embora tenha sido amável com as outras mulheres, reconhecendo-lhes o valor, enaltece sua esposa de forma exponencial, colocando-a no pináculo da virtude. Vale destacar que ele fala isso não para seus amigos, mas para sua própria mulher. O elogio indireto é bom, mas é melhor quando é feito à própria pessoa elogiada!

2

A RELAÇÃO DA
mulher nota 10
COM SEUS FILHOS

Há muitas mulheres que se destacam na vida profissional e até despontam na carreira política. Tornam-se verdadeiros ícones do sucesso fora dos portões. Isso é digno de nossos maiores encômios e aplausos. Porém, essas conquistas não podem ser em prejuízo dos relacionamentos domésticos. Nenhum sucesso compensa o fracasso da família. Nenhuma conquista vale a perda dos filhos. Nossa família é o nosso maior patrimônio. Nossos filhos são nosso maior tesouro. Nossa herança mais preciosa não são coisas perecíveis, mas nossos filhos. Todo investimento feito nos filhos vale a pena.

Peter Marshall, capelão do Senado americano, comparou as mães a guardas das fontes. Elas são, muitas vezes, as heroínas anônimas, que prestam o mais importante serviço à família, à sociedade e à nação. Como disse o grande estadista americano Abraham Lincoln, "as mãos que embalam o berço governam o mundo". São as mães que mais tempo ficam com os filhos no período da infância, tempo decisivo no qual se forja o caráter e se estabelecem os principais valores na mente da criança. São as mães que compartilham seu corpo, seu leite, sua vida na formação dos filhos. Hoje, mais de 50% dos filhos vivem fora da estrutura familiar de pai e mãe. Há muitas mulheres que são pai e mãe dos filhos, únicas provedoras do lar.

A mulher virtuosa, descrita em Provérbios, investiu não apenas em seu relacionamento conjugal, mas também na sua relação com os filhos. Aliás, de todos os investimentos que uma mãe faz na vida dos filhos, um dos mais relevantes é exatamente sua relação harmoniosa com o marido. Um casamento turbulento é um desastre para a vida emocional dos filhos. Pecam contra os filhos os cônjuges que vivem em pé de guerra. Atentam contra a vida emocional dos filhos os pais que se agridem com palavras e atitudes. Visto que a mulher virtuosa era uma aliviadora de tensões na vida do marido, era uma sábia educadora dentro do lar. Porque sua relação conjugal era um padrão de alta qualidade, tinha plena autoridade para educar com sabedoria os filhos.

Destacamos três aspectos da relação dessa mulher virtuosa com seus filhos.

Uma mulher que conjuga conhecimento com discernimento espiritual

A mulher virtuosa *Fala com sabedoria...* (Pv 31.26). Sabedoria é diferente de conhecimento. Há pessoas cultas que são tolas. Há pessoas que têm conhecimento, mas não sabem usá-lo. Sabedoria é o uso correto do conhecimento para seus melhores propósitos. Essa mulher tinha habilidade com as palavras. Ela era uma mestra do bem. Suas palavras traziam luz para o entendimento e aquecimento para o coração.

Eu louvo a Deus pela minha mãe. Ela foi uma mulher sábia. Quando eu estava para nascer, minha mãe ficou gravemente enferma. Ela morava num lugar muito pobre, sem os recursos da medicina. Não havia estradas nem carro para socorrer uma pessoa doente. O farmacêutico chegou a afirmar que eu estava em agonia de morte em seu ventre e que a única chance de ela sobreviver seria sacrificar a minha vida. Minha mãe tomou a decisão de prosseguir com a gravidez. Estava resoluta nesse propósito e afirmou: "Eu estou pronta a morrer com o meu filho e morrer por ele, mas não abro mão da sua vida".

Nesse momento, ela fez um voto a Deus, dizendo: "Senhor, se tu poupares a minha vida e a vida do meu filho, eu o consagrarei a ti, para que ele seja um pregador da tua Palavra e um ministro do evangelho". Deus ouviu a oração da minha mãe, e eu nasci. Nasci na roça. Fui trabalhador de enxada desde os primórdios da minha vida. Calcei o meu primeiro par de sapatos com 8 anos de idade, já com as mãos calejadas. Onde eu morava só havia escola primária. Nunca alguém havia saído dali para dar prosseguimento a seus estudos. Por providência divina, minha querida professora que me alfabetizou, ao mudar para Vitória, a capital do Espírito Santo, convidou-me para ir com sua família. Sem detença pedi a meus pais, e eles me autorizaram a sair de casa com 12 anos de idade para caminhar na direção dos meus sonhos. Minha mãe nunca me contou esse propósito que ela assumira com Deus, pois entendia que, no tempo oportuno, Deus mesmo haveria de me chamar de forma irresistível para o ministério. Por ser sábia, ela não me queria sugestionar.

Desde criança, porém, meu grande sonho era ser advogado e político. Não perdia sequer um comício. Sorvia cada palavra dos grandes oradores que subiam ao palanque. No dia em que completei 18 anos, tirei meu título eleitoral e filiei-me a um partido político. Tinha sonhos ousados e queria lutar por eles. Porém, um dia Deus pôs sua mão sobre mim e chamou-me para o ministério. Abri imediatamente mão de meus sonhos e abracei o projeto de Deus. Hoje, entendo que não há nada mais sublime do que ser ministro do evangelho, pregador da Palavra de Deus e pastor de almas. Estou certo de que ser um embaixador de Deus é mais importante do que ser um político de proa.

Quando minha mãe estava nos últimos dias de sua vida, chamou-me a sua casa e compartilhou comigo esse voto que fizera a Deus. Disse-me ainda que, todas as noites, levantava-se de sua cama e dobrava os joelhos em oração, clamando a Deus, para que ele me levantasse como pregador em nossa nação. Chorando, abracei minha mãe e lhe disse: "Mamãe, a senhora está me ensinando a mais importante lição da minha vida: um filho que tem uma mãe que ora por ele nunca é um filho pobre". Entendi que o mais importante não são os meus sonhos, mas o grande projeto de Deus para minha vida. Pela sua graça, Deus tem me dado grandes oportunidades de pregar em todo o Brasil e fora dele. Vejo nisso a fidelidade de Deus para com minha mãe, uma mulher simples, mas sábia, que me instruiu no caminho da verdade.

Uma mulher que olha para a vida com os olhos de Deus

A mulher virtuosa *Fala com sabedoria...* (Pv 31.26). A palavra "sabedoria" significa olhar para a vida com os olhos de Deus. É enxergar a vida da perspectiva de Deus. Muitas mulheres educam seus filhos apenas para alcançar as glórias deste mundo. Querem apresentar seus filhos como troféus de sua vaidade. Educam seus filhos apenas para conquistar sucesso nesta vida.

Nossos filhos precisam não apenas de casa, roupa, comida e educação. Eles precisam, também, e sobretudo, de palavras de sabedoria. Precisam da instrução que vem do alto. Precisam do ensino que emana das Escrituras. Precisam conhecer Deus. Nossos filhos podem ter todo o conforto e toda fartura, mas, se não tiverem Deus, a vida deles será miseravelmente pobre. Nossos filhos podem usar as roupas mais caras, ostentando as grifes mais famosas, mas, se não conhecerem Cristo, estarão nus espiritualmente. Nossos filhos poderão estudar nas escolas mais caras e galgar os degraus das universidades mais famosas, mas, se não andarem com Deus, caminharão por veredas sinuosas. Nossos filhos poderão chegar ao apogeu na vida profissional, granjeando muito dinheiro e conquistando sucesso e fama, mas, sem o evangelho, serão ricos pobres!

A Bíblia fala das importantes decisões e escolhas feitas por Moisés quando homem adulto:

> *Pela fé, Moisés, quando já homem feito, recusou ser*
> *chamado filho da filha de Faraó, preferindo ser*
> *maltratado junto com o povo de Deus a usufruir prazeres*

transitórios do pecado; porquanto considerou o opróbrio
de Cristo por maiores riquezas do que os tesouros do Egito,
porque contemplava o galardão. Pela fé, ele abandonou o
Egito... (Hb 11.24-27).

A grande pergunta que devemos fazer é: quando Moisés aprendeu que o pecado tem prazeres transitórios? Por que Moisés escolheu ser maltratado com seu povo em vez de usufruir as vantagens da vida palaciana como filho da filha de Faraó. Onde Moisés aprendeu sobre Cristo, o Messias que havia de vir? Com quem Moisés aprendeu que o opróbrio de Cristo traria riquezas superiores às deslumbrantes riquezas do Egito? Quem lhe falou acerca do galardão? A única resposta que temos é que ele aprendeu essas verdades que nortearam sua vida na infância, com sua mãe. Joquebede inculcou na mente de seu filho verdades absolutas, e esses ensinamentos sábios governaram a vida do homem que foi o instrumento que Deus usou para libertar seu povo da escravidão. Bendita a mãe que olha para a vida com os olhos de Deus e tem palavras de sabedoria em seus lábios para educar seus filhos nos caminhos da vida.

Uma mulher que investe na vida dos filhos

O texto bíblico diz: *... e a instrução da bondade está na sua língua* (Pv 31.26). O que é bondade? A Bíblia só chama um homem de bom: Barnabé. *Porque era homem bom, cheio do Espírito Santo e de fé...* (At 11.24). A marca distintiva de Barnabé é que ele investiu na vida das pessoas. Em quatro ocasiões especiais vemos isso, com clareza (At 4.36,37; 9.27; 11.25,26; 15.39). Barnabé investiu nos crentes pobres de Jerusalém. Investiu na vida de Saulo em Jerusalém e Antioquia e também investiu na vida de seu primo João Marcos. Uma pessoa bondosa sempre está procurando meios e formas para ajudar alguém. Tem o coração aberto para amar, as mãos abertas para servir, o bolso aberto para contribuir e a casa aberta para receber. A mulher virtuosa é uma mãe que não apenas instrui, passando conceitos religiosos para os filhos, mas se interessa de forma prática pelos filhos. Não basta amar o ensino; precisamos amar as pessoas que ensinamos. Não basta ter apego aos valores que transmitimos aos filhos; precisamos transmitir esses valores demonstrando profundo amor pelos filhos. A forma de ensinar é tão importante como o que ensinamos a nossos filhos.

Um dos exemplos mais emocionantes que temos na Bíblia sobre o investimento na vida dos filhos é encontrado em Loide e Eunice, avó e mãe de Timóteo, respectivamente. Eunice era uma mulher judia crente, e seu marido, um homem grego (At 16.1). Tanto Eunice como Loide, sua mãe, eram mulheres piedosas, que tinham uma fé sem fingimento, e elas transmitiram essa mesma fé a Timóteo (2Tm 1.5). Paulo diz que Timóteo sabia as sagradas letras desde a sua infância (2Tm 3.15). Essas verdades salvadoras foram inculcadas na mente de Timóteo através de um investimento consciente e focado dessas duas mulheres de Deus. O resultado é que Timóteo tornou-se um homem precioso nas mãos de Deus, com bom testemunho em sua cidade e na região onde morava (At 16.2). Timóteo tornou-se um cooperador de Paulo, um homem que distinguia-se pelo seu acendrado cuidado com as coisas de Cristo e da igreja (Fp 2.20). Era um homem de caráter provado, que servia ao evangelho junto com o apóstolo Paulo (Fp 2.22). Timóteo tornou-se pastor da igreja de Éfeso, para quem Paulo escreveu duas epístolas. Esse resultado tão importante para o cristianismo tem estreita ligação com o investimento que essa mãe e avó fizeram na vida de Timóteo.

Como já afirmei, estou convencido de que um filho nunca é pobre quando tem uma mãe que ora por ele. Quando uma mãe se coloca de joelhos em favor de um filho, esse filho se coloca de pé para servir a Deus. Eu sou uma prova dessa verdade. Minha mãe investiu sua própria vida na minha vida. Dispôs-se a dar sua vida para que eu nascesse. Quando precisou optar entre sua vida e a minha, decidiu não abrir mão da minha vida. Deus ouviu seu clamor, e eu sou fruto dessa abnegação. Hoje, compreendo que o ministério que recebi de Deus está estreitamente ligado ao voto que minha mãe fez de consagrar-me ao ministério desde o ventre.

Uma mulher que não privilegia mais um filho do que outro

O texto bíblico é claro em nos informar que *Levantam-se seus filhos e lhe chamam ditosa...* (Pv 31.28). Vale a pena destacar que todos os filhos levantam-se para elogiar a mãe. E por que agem assim? É porque a mãe teve o cuidado de investir nos filhos sem fazer distinção entre eles. Embora os filhos sejam diferentes, precisam de cuidados iguais. Embora tenham temperamentos diferentes, precisam de encorajamento igual. Embora tenham dotes diferentes, precisam receber o mesmo investimento. Pecam contra os filhos os pais que demonstram preferência por um filho em detrimento de outro. Esse foi o erro grave cometido por Isaque e Rebeca. Esse casal teve dois filhos gêmeos, Esaú e Jacó. Isaque amava mais a Esaú, e Rebeca amava mais a Jacó. Essa atitude insensata separou o casal e jogou um filho contra o outro. Esse casal semeou discórdia dentro do lar e abriu uma ferida nas duas gerações que durou milênios. O mesmo erro, mais tarde, foi cometido por Jacó. Ele amava mais a José do que aos outros filhos. Dava presentes especiais a esse filho, e isso provocou inveja nos outros irmãos, trazendo grandes desgostos para toda a família.

A mulher virtuosa tinha o cuidado de amar, ensinar e educar os filhos sem privilegiar um filho em detrimento do outro. Como pastor, já lidei com muitas situações difíceis nessa área. Certa feita atendi uma jovem que possuía muitos complexos. Trazia na alma feridas abertas. Sua irmã, por ser mais graciosa fisicamente, recebia dos pais todos os elogios. Estudava numa escolha melhor e recebia presentes mais caros. As roupas da irmã eram compradas em lojas mais sofisticadas. Para a irmã os favores; para ela os rigores. Isso adoeceu a alma dessa jovem. Tinha um profundo complexo de inferioridade. Sua estima estava achatada. O resultado é que sentia-se um lixo humano, desprezada e mal-amada.

Muitos pais cometem o erro de comparar um filho com outro. Essa atitude desperta a competição dentro do lar em vez de estimular o companheirismo. Provoca inveja e ciúme em vez de cultivar a amizade. Os pais podem cobrar dos filhos o mesmo empenho, mas nunca devem cobrar o mesmo desempenho. Podem cobrar o mesmo envolvimento, mas não os mesmos resultados. Cada filho é uma pessoa única no universo. Os pais precisam ter discernimento e sabedoria para não ser duros demais com um filho e complacentes demais com outro.

Uma mulher que educa para a salvação

O que é a instrução da bondade? Qual é o conteúdo desse discipulado dentro do lar? Na cultura hebraica havia um preceito conhecido em todas as famílias. Era o *Shema*:

> *Ouve, Israel, o* Senhor, *nosso Deus, é o único* Senhor.
> *Amarás, pois, o* Senhor, *teu Deus, de todo o teu coração, de toda a tua alma e de toda a tua força. Estas palavras que, hoje, te ordeno estarão no teu coração; tu as inculcarás a teus filhos, e delas falarás assentado em tua casa, e andando pelo caminho, e ao deitar-te, e ao levantar-te. Também as atarás como sinal na tua mão, e te serão por frontal entre os olhos. E as escreverás nos umbrais de tua casa e nas tuas portas* (Dt 6.4-9).

A mulher virtuosa tem compromisso com Deus antes de falar de Deus para seus filhos. Ela teme ao Senhor (Pv 31.30). Ela ama a Deus, por isso tem autoridade para educar seus filhos. O que está em seus lábios é o que reina em seu coração. Sua vida chancela seu ensino. A vida dos pais é a credencial do ensino aos seus filhos. Os pais ensinam aos filhos não o caminho, mas no caminho (Pv 22.6). Ensinam não apenas com palavras, mas sobretudo com exemplo. O exemplo não é uma forma de ensinar, mas a única forma eficaz. O ensino sábio e bondoso tem a ver com o conteúdo e com o método. A educação não pode ser apenas formal; precisa ser informal também, ou seja, ministrar na dinâmica da vida, usando todos os recursos visuais disponíveis. Porém, precisa partir de um coração que ama a Deus para corações que precisam aprender a amar a Deus.

A mulher virtuosa educava os filhos para a salvação. Seu propósito era ensinar os filhos a amar a Deus. Este é o supremo propósito da vida: amar a Deus, glorificá-lo e deleitar-se nele.

Uma mulher elogiada pelos filhos

Provérbios 31.28 diz: *Levantam-se seus filhos e lhe chamam ditosa...* Essa mulher semeou na vida dos filhos e agora está colhendo os frutos dessa semeadura bendita. Ela cultivou um relacionamento saudável e está usufruindo os benefícios desse investimento. Muitos filhos, infelizmente, têm memórias amargas, quando recordam de sua mãe. Estava pregando em São Paulo, quando uma senhora me procurou depois do culto, em lágrimas. Tinha uma grande cicatriz no braço. Olhando para mim, com um semblante triste, disse-me: "Pastor, fui esfaqueada pela minha mãe quando eu tinha 10 anos. Odiei a minha mãe durante cinquenta anos. Nunca consegui perdoá-la. Nunca consegui amá-la. Nunca consegui me libertar dessas lembranças amargas".

Há mães que tratam os filhos com rigor desmesurado. Outras os tratam com total complacência. Há mães que sacrificam os filhos no ventre como se fossem verrugas pestilentas. Outras os abandonam quando nascem. Outras, ainda, rejeitam-nos e os entregam à própria sorte. Há mães que desistem de lutar pelos filhos. A mulher virtuosa investiu nos filhos e agora recebe deles um sonoro e retumbante elogio.

Uma mulher que não perdeu a doçura da vida na educação dos filhos

O que me chama a atenção no elogio dos filhos é que eles não destacam as roupas de linho finíssimo e púrpura que a mãe vestia (Pv 31.22). Eles não elogiam a casa bem arrumada (Pv 31.27), tampouco o empreendedorismo da mãe em seus negócios (Pv 31.13-19). Eles destacam a felicidade da mãe: *Levantam-se seus filhos e lhe chamam ditosa* [*feliz*]... (Pv 31.28). Há muitas mulheres que cumprem seu papel materno, mas ficam arrebentadas emocionalmente. Desdobram-se para educar os filhos, mas perdem a doçura. Investem tudo nos filhos, mas ficam com o tanque vazio, sem o brilho da felicidade. A mulher virtuosa abastece-se na fonte; por isso, quanto mais dá, mais tem. Ela é como uma árvore frutífera, que mesmo nos tempos de estio mantém seu verdor e dá os seus frutos excelentes!

3

A RELAÇÃO DA
mulher nota 10
COM ELA MESMA

A beleza de uma mulher não está apenas ligada à sua aparência. Há mulheres que passam em qualquer teste de beleza física, mas, quando abrem a boca, revelam que seu interior não está sintonizado com sua *performance* física. A beleza exterior se esvai paulatinamente. O tempo é implacável. Vai esculpindo rugas em nossa face, fazendo bambear nossas pernas e deixando nossos joelhos trôpegos. A mulher virtuosa revela sua beleza em todas as áreas da vida. Cultiva a beleza física, mesmo sabendo que esta é passageira. Investe mais na beleza interior, sabendo que esta é permanente. Neste capítulo vamos destacar alguns aspectos do cuidado que essa mulher tinha com sua própria vida.

Uma mulher que cuida da sua forma física

O texto bíblico é claro a esse respeito: *Cinge os lombos de força e fortalece os braços* (Pv 31.17). Duas coisas merecem nossa atenção aqui:

Em primeiro lugar, *essa mulher cuida da sua saúde.* Há muitas mulheres que se lançam com tanto entusiasmo nos projetos da vida que se esquecem de si mesmas. São heroínas para cuidar dos outros, mas falham em cuidar de si mesmas. Pensam muito nos outros, mas descuidam de si mesmas. Edificam a casa, mas perecem dentro dessa casa. Estão atentas às necessidades dos outros, mas deixam de perceber suas próprias necessidades. Ficam cansadas na obra e da obra. A mulher virtuosa entende que precisa de saúde, força e energia para dar continuidade ao seu trabalho dentro do lar e fora dele.

A espiritualidade saudável não dicotomiza a vida entre o físico e o espiritual, entre o corpo e a alma. Todo o nosso ser deve ser consagrado a Deus. O nosso corpo é o templo do Espírito Santo. Não podemos destruir esse templo nem descuidar dele. Nosso corpo foi comprado por um alto preço. Não somos de nós mesmos. Pertencemos a Deus. Nosso corpo deve glorificar a Deus. Somos mordomos do nosso corpo. O cuidado com a saúde é uma atitude altamente espiritual. O apóstolo Paulo tinha Lucas, o médico amado, como companheiro de viagem. Paulo recomendava a seu filho Timóteo cuidar de sua saúde. Muitas mulheres pensam somente no esposo e nos filhos e se esquecem de cuidar da saúde. Esquecem de fazer exames preventivos. Esquecem que é melhor prevenir do que remediar.

A mulher virtuosa entendia que o exercício é fundamental para se manter uma boa forma física. Naquela época não havia academias de ginástica, mas ela trabalhava arduamente. Mesmo sendo uma empresária bem-sucedida, com variadas atividades administrativas, e agenda congestionada, encontrava tempo para cuidar do seu corpo; mesmo tendo servas para fazer o trabalho doméstico, não se entregava ao ócio nem comia o pão da preguiça. Não era uma dondoca, que dormia até tarde, rendida à preguiça. O trabalho para essa mulher era uma agenda diária e um deleite constante. Ao mesmo tempo que alavancava seus negócios dentro e fora do lar, mantinha seu corpo em forma.

Há muitas mulheres que se descuidam de sua forma física. Acomodam-se. Ganham muito peso e não se esforçam para melhorar sua aparência. Nutrem a ideia equivocada de que seu marido nunca vai sentir-se atraído por outra mulher. Esse é um ledo engano. Tanto o homem como a mulher precisam se cuidar fisicamente. Precisam continuar atraindo um ao outro. O descuido nessa área pode ser fatal para o casamento. Há muitos casais que subestimam a importância vital da sexualidade. Privam-se desse privilégio e desse dever. É importante dizer que não existe fase segura no casamento. Cresce o número de divórcios na terceira idade. Descuidar-se do corpo é descuidar-se da sexualidade, e descuidar-se da atividade sexual é assinar o atestado de óbito do casamento.

Precisamos manter em forma o nosso corpo e continuar atraindo o nosso cônjuge. A ideia de que, se meu cônjuge me ama, não vai se importar com a aparência de meu corpo, é um mito. A ideia de que, se meu cônjuge me ama, sempre vai sentir-se atraído por mim, mesmo que eu, por descuido, relaxe com o cuidado corporal, é também um mito. O cuidado com o corpo é vital para termos um casamento saudável e uma vida sexual ativa.

Uma mulher que tem bom gosto para se vestir

O texto bíblico mostra que a mulher virtuosa não era tão obcecada pelo trabalho a ponto de se descuidar de sua aparência. Era comerciante, empresária, dona de casa, mas sabia se vestir de forma elegante para as ocasiões especiais. Vejamos o que a Bíblia diz a seu respeito: ... *veste-se de linho fino e de púrpura* (Pv 31.22). Linho fino e púrpura eram os tecidos mais requintados da época. Era o *top* da moda. Essa mulher tinha bom gosto para vestir-se e não tinha nenhuma dificuldade de usar o melhor da sua época.

É importante dizer que bom gosto não tem a ver com riqueza. Há muitas mulheres que são ricas, mas não têm bom gosto. Gastam rios de dinheiro em roupas caras, em joias extravagantes, mas não se apresentam com elegância. O elegante é compatível com a simplicidade. Uma mulher pode estar muito bem vestida sem qualquer ostentação.

A mulher virtuosa podia frequentar qualquer ambiente requintado sem envergonhar seu marido. Ela sabia cuidar do seu corpo e também da sua aparência. Ela andava na moda sem ser vulgar. Ela vestia-se com o melhor da época sem ser um poço de vaidade. Trajava o mais elegante, mas sabendo que a beleza interior deve sobressair à *performance* física.

O linho fino era um tecido nobre, e a púrpura era uma das mercadorias mais caras do mundo antigo. Lídia, de Tiatira, que morava em Filipos, era vendedora de púrpura

(At 16.14). A tintura escarlate e violeta aplicada ao tecido fino era obtida da secreção de um molusco que habita a parte leste do mar Mediterrâneo. Já que eram necessários cerca de 8 mil moluscos para produzir 1 grama de tintura púrpura, o tecido púrpura era extremamente caro. Os trajes púrpura eram envergados por imperadores e cidadãos particulares como símbolo de *status*. Em Roma, togas púrpura eram atreladas às vestes senatoriais.

A mulher virtuosa combinava simplicidade com elegância; trabalho com bom gosto no vestir; cuidado com a família com esmero com a autoimagem. Ela, ainda hoje, se nos apresenta como um modelo digno de ser imitado!

Uma mulher que cuida da sua mente e não se rende à ansiedade

Há mulheres que cuidam muito do corpo, mas não esticam os músculos da mente. Fazem academia, frequentam *spa*, estão sempre fazendo reparos no corpo, através de cirurgias plásticas, mas não investem no cuidado de sua vida interior. São prisioneiras da ansiedade e vivem na masmorra do medo. Vejamos como a mulher virtuosa lidava com essa questão da ansiedade: ... *e, quanto ao dia de amanhã, não tem preocupações* (Pv 31.25). A ansiedade é o mal deste século. Atinge homens e mulheres, crianças e jovens, pessoas maduras e pessoas idosas. A ansiedade lança seus tentáculos sobre doutores e analfabetos, pobres e ricos, homens do campo e da cidade, religiosos e não religiosos.

A ansiedade é inútil, pois ninguém pode acrescentar alguns centímetros ao curso da sua vida, por mais ansioso que esteja. A ansiedade é prejudicial, pois é ocupar-se antecipadamente de um problema que ainda não está acontecendo. Estatisticamente, mais de 70% dos assuntos que nos deixam ansiosos nunca acontecerão. Aí sofremos desnecessariamente; e, se os problemas de fato acontecerem, sofreremos duas vezes, já sem energias para enfrentá-los. Jesus nos ensinou que basta a cada dia o seu próprio mal. Não devemos carregar bagagem extra. Não podemos antecipar problemas para sofrer por eles desnecessariamente.

A ansiedade, ainda, é um sinal claro de incredulidade. Ficamos ansiosos porque duvidamos de que Deus é suficientemente bom e poderoso para cuidar de nossa vida. Em vez de andar arquejantes debaixo do peso esmagador da ansiedade, devemos lançar sobre o Senhor toda a nossa ansiedade, sabendo que ele tem cuidado de nós.

O apóstolo Paulo diz que não devemos andar ansiosos de coisa alguma. E nos oferece a solução: devemos apresentar a Deus nossas ansiedades por meio da adoração, da súplica e das ações de graças. A palavra "oração" que aparece em Filipenses 4.6 é a mesma para "adoração". Nós adoramos a Deus por quem ele é e damos graças a Deus por aquilo que ele faz. Quem é o seu Deus? Qual é o tamanho do seu Deus? Ficamos ansiosos porque apequenamos o nosso Deus e agigantamos nossos problemas. Quando compreendemos quem é Deus, ficamos como uma criança quieta nos braços de sua mãe. O nosso Deus é aquele que mede as águas dos mares na concha de sua mão e pesa o pó da terra em balança de precisão. O nosso Deus é aquele que estende o céu como uma cortina e o mede a palmos. O nosso Deus é aquele que espalha as estrelas no firmamento e chama cada uma delas pelo nome. E, por ser forte em força e grande em poder, nenhuma delas vem a faltar. O nosso Deus é aquele que está assentado sobre a redondeza da terra e destrona os príncipes arrogantes e levanta do monturo o necessitado.

Quem é o seu Deus? O nosso Deus é autoexistente, imenso, infinito, eterno, imutável, onipotente, onisciente, onipresente, transcendente, soberano, fiel, santo, justo, verdadeiro, misericordioso, benigno. Ele é o nosso criador, sustentador e redentor. Ele é o nosso refúgio e nossa esperança. É o nosso pastor, nossa paz, nossa herança, a razão da nossa vida.

Quando reconhecemos a grandeza do nosso Deus; quando temos a consciência de que ele está no trono e governa os céus e a terra; quando entendemos que nenhum fio de cabelo da nossa cabeça pode ser tocado sem que ele saiba e permita, então passamos a descansar em sua bondosa providência.

A palavra "ansiedade" significa estrangulamento ou ser rasgado pelo meio. A ansiedade nos estrangula. Rouba nossas energias. Suga nosso vigor. Desvia os nossos olhos de Deus. Estrangula-nos. Há muitas pessoas sem paz, sem perspectiva e sem vigor porque vivem sufocadas pela ansiedade. A mulher virtuosa não tinha preocupações com o dia de amanhã. Não que fosse uma mulher desleixada. Era providente. Antecipava soluções, não problemas. Administrava o que estava em seu alcance e descansava naquilo que estava fora do seu alcance.

Uma mulher virtuosa vive o hoje e descansa em Deus quanto ao dia de amanhã. Ela tem vida plena agora, porque descansa na providência divina quanto ao futuro. Mente sã produz corpo sadio. Muitas mulheres adoecem fisicamente porque andam estranguladas pela ansiedade. Mais de 50% das doenças são de natureza psicossomática. A ansiedade é a causa de muitas enfermidades.

A mulher que faz constantemente uma faxina em sua mente e remove de lá os entulhos da ansiedade, tem melhor qualidade de vida relacional no casamento. Há muitos casamentos que naufragam porque a ansiedade da mulher ou do marido rouba deles o verdor da vida. Em vez de desfrutar da plenitude da relação, oferecem um ao outro apenas o resto. Consumiram seus melhores afetos e suas melhores energias com suas muitas preocupações.

A mulher que sabe lidar corretamente com a ansiedade tem melhor desempenho em seu trabalho. Uma pessoa ansiosa gasta seu tempo, suas energias e seu talento com problemas que ainda não estão acontecendo. Sofre antecipadamente. Subtrai seus próprios recursos. Joga contra o patrimônio e se torna um fiasco. A mulher virtuosa não desperdiçava seu tempo preocupando-se com os afazeres do amanhã. Ela investia seu tempo de forma positiva para realizar as tarefas do hoje.

Uma mulher que valoriza mais o interior do que o exterior

Vivemos no reino da vaidade. Nossa geração cultua o corpo. Academias pipocam em todos as esquinas. Clínicas de tratamento de beleza proliferam em todas as cidades. Somos o campeão mundial em cirurgias plásticas. Exaltamos a aparência. Supervalorizamos a beleza física. Gastamos rios de dinheiro em cosméticos. Queremos nos manter em forma. Nada de errado com isso. Aliás, o cuidado com o corpo é ordenança divina. Nosso corpo foi criado por Deus e remido por ele. Não somos de nós mesmos. Devemos glorificar a Deus em nosso corpo. Devemos ser mordomos responsáveis do nosso corpo. O problema acontece quando há um desequilíbrio entre o exterior e o interior. Quando cultivamos a beleza do corpo, mas não tratamos da beleza da alma. Não adianta tirar as rugas da face se não esticamos os músculos da alma. Não adianta entrar num *spa* se não temos uma dieta perfeita para nosso espírito. Não adianta fazer cirurgias plásticas para remover o excesso se não lancetamos os abcessos da alma.

A mulher virtuosa cultiva a beleza física, mas valoriza mais a beleza interior. Vamos conferir isso: *A força e a dignidade são os seus vestidos...* (Pv 31.25). Há muitas mulheres belas, mas vazias. Há muitas mulheres cultas, mas sem dignidade. Há muitas mulheres bem vestidas, mas fúteis. Há muitas mulheres famosas, mas rendidas à mais repugnante vaidade. A mulher virtuosa conjuga beleza com caráter; boa apresentação com simplicidade; beleza exterior com beleza interior. Na Antiguidade, as mulheres não tinham a vida social que têm hoje. Poucas mulheres alcançavam projeção. Então, as mulheres ricas gastavam tempo excessivo cuidando de vestuários dispendiosos e penteados extravagantes, permeando a vasta cabeleira com ouro e pérolas. Empetecavam-se de joias e adornos. Faziam desse festival de vaidades a passarela da vida. O cuidado com a aparência era um fim em si mesmo. Tanto Paulo como Pedro denunciaram essa postura fútil e recomendaram a modéstia e o cultivo da beleza interior (1Tm 2.9; 1Pe 3.3).

4

A
mulher nota 10
EM RELAÇÃO AO PRÓXIMO

A mulher virtuosa tinha olhos não apenas para si, para o marido e para os filhos. Ela também conseguia olhar para fora dos portões da sua casa e ser uma bênção na vida de outras pessoas. Vejamos o registro bíblico: *Abre a mão ao aflito; e ainda a estende ao necessitado* (Pv 31.20). Destacamos aqui duas atitudes importantes dessa mulher.

Uma mulher que ajuda as pessoas emocionalmente

Essa mulher virtuosa tinha uma agenda muito disputada. Levantava cedo, dava ordens às suas servas no andamento da casa e liderava diversas frentes de negócio fora do lar. Era uma mulher com profundo senso administrativo, uma empresária de raro talento. Porém, em sua concorrida agenda, havia espaço para observar as pessoas à sua volta. Era uma mulher sensível. Tinha o coração compassivo. O texto bíblico é claro: *Abre a mão ao aflito...* (Pv 31.20).

A aflição não decorre apenas de problemas materiais. Naquela época, como hoje, as multidões andavam aflitas e desorientadas. Eram como ovelhas sem pastor. As pessoas andam inquietas e desassossegadas. Vivem num emaranhado de emoções turbulentas. Muitas dessas pessoas aflitas são abastadas financeiramente. Vivem em apartamentos confortáveis e em casas de luxo nos ricos condomínios fechados. Pisam tapetes aveludados e dormem em camas macias com travesseiros de pena de ganso. Andam em carros importados e ostentam roupas de grife. Frequentam os melhores restaurantes e saem nas colunas das revistas sociais. Ostentam na face um largo sorriso, mas escondem uma alma aflita. Essas pessoas precisam de compaixão. Elas perecem de angústia num mar de conforto. Elas naufragam de desespero, no alto da pirâmide social.

A mulher virtuosa era capaz de discernir as pessoas aflitas à sua volta. Era capaz de estender a mão para levantar as pessoas prostradas e acalentar os abatidos. Tinha palavras de sabedoria e atitudes de afeto para aqueles que estavam desanimados com a própria vida. É importante ressaltar que a maioria das grandes obras sociais, focadas no cuidado de pessoas aflitas, foi iniciada por mulheres. Elas são mais sensíveis. São mais humanas. Estão sempre na vanguarda dos grandes heroísmos. Foram as mulheres que assistiram os profetas. Foram as mulheres que sustentaram o ministério de Jesus. São as mulheres, ainda hoje, que lideram as grandes causas humanitárias. A mulher virtuosa, no meio de sua faina renhida, encontra espaço na agenda e ternura no coração para estender a mão ao aflito. Ergue-se, portanto, como farol na escuridão, como luz no alto de uma montanha, como exemplo para todos nós. Devemos seguir seus passos e andar pelas mesmas veredas.

Uma mulher que ajuda as pessoas financeiramente

A mulher virtuosa não apenas tem palavras e gestos de bondade, mas também tem atos concretos de misericórdia com o próximo. Ela não apenas fala, mas faz. Concordo com James Hunter, quando disse que não somos o que falamos; somos o que fazemos. A mulher virtuosa prova isso, pois está escrito: ... *e ainda a estende ao necessitado* (Pv 31.20). O maior problema do mundo não é a escassez de recursos, mas a injusta distribuição deles. Enquanto uns têm com sobra; outros não têm sequer o básico. Enquanto uns vivem no luxo; outros vivem com trapos. Enquanto uns esbanjam; outros disputam as sobras. Enquanto uns morrem de comer; outros morrem de fome.

É doloroso perceber que ainda milhões de pessoas morrem de fome, esqueléticas, na África, quando muitos no mundo morrem cedo por obesidade. Comemos muito, comemos mal, enquanto muitos não têm nada para comer. Falta-nos sensibilidade. Falta-nos compaixão. Falta-nos ação. A mulher virtuosa cuidava da sua família, da sua casa e de seus negócios, mas cuidava também dos pobres. Dedicava parte do seu orçamento para socorrer as pessoas necessitadas. Não guardava tudo para si de forma avarenta, mas abria a mão com generosidade.

Vivemos num mundo egoísta e avarento. Os ricos querem ficar mais ricos, mesmo que seja às expensas dos pobres. Os fortes prevalecem sobre os fracos. A miséria daqueles que têm pouco ainda se agrava pelo sistema opressor que privilegia os poderosos.

Nada trouxemos para este mundo, nem nada dele levaremos. Mesmo assim, corremos desesperadamente atrás de coisas que não conseguiremos levar para a eternidade. John Rockefeller, o primeiro bilionário do mundo, disse que o homem mais pobre que ele conhecia era aquele que só possuía dinheiro. Há ricos que são miseravelmente pobres. Acumulam aquilo que vai lhes destruir a alma. Entesouram para sua própria destruição. Ajuntam combustível para sua própria ruína.

A semente que se multiplica não é aquela que comemos, mas a que semeamos. Perdemos o que retemos e ganhamos o que investimos. A vida do próximo é um campo fértil de semeadura. Aquele que faz o bem ao próximo recebe isso de volta das próprias mãos do Senhor. Quando semeamos com fartura, colhemos com abundância. A alma generosa prospera. Quem dá aos pobres, a Deus empresta. Reter mais do que é justo, porém, é pura perda. A mulher virtuosa avançava com grande desenvoltura na sua vida familiar e profissional, porque obedecia a esse princípio espiritual: ... *Mais bem-aventurado é dar que receber* (At 20.35).

Aprendi essa lição com minha mãe. Depois que ficou viúva, todos os anos ia à cidade para fazer a compra do ano. Abastecia sua casa com grande abundância de provisão. Contudo, toda aquela fartura não era para si mesma; era para ser distribuída com as pessoas pobres da região onde morava. Contentava-se com uma vida modesta, mas tinha prazer em socorrer os aflitos e estender a mão aos necessitados.

5

A
mulher nota 10
EM RELAÇÃO À SUA CASA

A mulher virtuosa tem uma intensa atividade fora do lar, mas não abre mão de ser dona de casa. Mesmo tendo olhos para fora dos portões e um intenso labor fora de casa, mantinha as coisas em perfeita ordem dentro de casa. Algumas coisas merecem destaque.

Uma mulher que não é amante do sono, mas do trabalho

O sono é uma dádiva de Deus, mas a preguiça e o ócio são nocivos. Mesmo sendo uma mulher rica, não se acomodava. Mesmo tendo dinheiro para viver a vida toda sem trabalhar, não se capitulava a uma vida fútil. Vejamos o registro bíblico: *É ainda noite, e já se levanta...* (Pv 31.15). Essa mulher não se levanta porque tem insônia. Não se levanta porque dormiu durante o dia e agora não tem mais sono à noite. Não se levanta porque está sendo consumida pela angústia de uma vida sem propósito. Ela madruga porque precisa prover sua família da primeira refeição do dia e dar ordem às suas servas. Essa mulher era uma administradora hábil em seus negócios e uma gestora firme em sua casa.

Uma mulher que tem controle do cardápio da família

Essa mulher sabe o que tem na dispensa e o que vai para a mesa todos os dias. Ela tem um planejamento de cada refeição. Não delega essa ação para suas servas. Ela mesma faz questão de cuidar do cardápio da família: ... *e dá mantimentos à sua casa* (Pv 31.15). Há muitas mulheres que, por terem certa posição social confortável, abdicam do privilégio de governar sua própria casa. Gastam muito, mas não sabem administrar. Não são gestoras dos recursos do lar. Não sabem o que entra em casa nem como administrar os recursos domésticos. Não têm nenhuma ingerência no cardápio da família e se abstêm de toda atividade culinária porque têm medo de perder a maciez das mãos. São dondocas sofisticadas, mas não mulheres que mereçam os encômios da família nem o reconhecimento dos pósteros.

Uma mulher que sabe fazer e sabe mandar

A mulher virtuosa sabe fazer e sabe mandar: ... *e a tarefa às suas servas* (Pv 31.15). Ela levanta cedo porque quem dá o norte em sua casa é ela. Quem orienta o que fazer e como fazer é ela. Não é controladora; é gerente. Não é comandada;

está no controle. Ela administra sua empresa e também a sua casa. Essa mulher sabe fazer e sabe mandar. Ela não terceiriza a administração da sua casa. As servas cumprem a agenda estabelecida por ela. Na sua casa, ela é a gestora. Vejamos mais uma vez o texto bíblico: ... *prepara comida para todos os de casa, e dá tarefas às suas servas* (Pv 31.15). Há mulheres que só sabem mandar, mas não põem a mão na massa; há outras que só fazem fazer, mas não sabem dar tarefas a outras pessoas. A mulher virtuosa combina labor com gestão; empenho com desempenho; ação com delegação.

A casa dessa mulher reflete sua personalidade. A ordem com que tudo acontece dentro do seu lar resplandece suas virtudes. Das roupas às refeições, tudo passa por suas mãos habilidosas e por sua administração exemplar. Ela dá ordens e fiscaliza; delega e acompanha. Há mulheres que não sabem governar sua casa. São reféns das secretárias. Não sabem dar ordens. Não têm noção do que precisa ser feito dentro de casa nem sabem como fazer. A mulher virtuosa ergue-se como um estandarte no mastro, tremulando seu exemplo para a nossa geração.

Uma mulher que é precavida nas ações e antecipa soluções

Preocupação é sofrer por um problema antecipadamente, mas ser previdente é encontrar soluções antecipadamente. A mulher virtuosa não era ansiosa, mas previdente. Vejamos: *No tocante à sua casa, não teme a neve, pois todos andam vestidos de lã escarlate* (Pv 31.21). Naquela época a indústria têxtil não era desenvolvida como hoje. As roupas eram muito caras. Também não havia máquinas de costura nem roupas de pronta entrega. As roupas eram feitas arte-sanalmente. Demorava-se para fazer uma peça de roupa. O inverno rigoroso exigia roupas quentes e adequadas. Essa mulher, sabendo que o frio chegaria inevitavelmente em toda estação de inverno, antecipava-se na confecção de roupas confortáveis e quentes para todos os membros de sua família.

Esse é um princípio importante. Precisamos ser agentes de solução, não causadores de problemas. Precisamos antecipar soluções, não viver estressados por-que deixamos tudo para a última hora. Precisamos agir preventivamente, e isso em todas as áreas da vida. Muitas pessoas perdem a paz, o sono, a saúde e o foco porque não fazem uma agenda de atividade. Quantos alunos ficam reprovados porque só deixam para estudar nos dias de prova, quando poderiam ter um horário definido todos os dias para consolidar o aprendizado. Quantos empresários perdem dinheiro, porque não fazem um planejamento estratégico da empresa. Por isso, acabam perdendo recursos e oportunidades, porque não administraram com sensatez o tempo e o dinheiro. Quantas donas de casa ficam aperta-das e ansiosas porque não planejaram suas ações no tempo certo, da forma certa, para buscar os melhores resultados dentro do lar.

A mulher virtuosa não apenas provê para sua família roupas adequadas para o inverno, mas providencia o melhor. Assim diz o autor sagrado: ... *pois todos andam vestidos de lã escarlate. Faz para si cobertas, veste-se de linho fino e de púrpura* (Pv 31.21,22). Essa mulher dá o que tem de melhor para sua família e veste-se com o que há de mais moderno e bonito na época. Ela investe na família e investe em si mesma. Há um equilíbrio na vida dessa mulher. Tem uma boa autoestima. Tem uma autoimagem saudável. Combina conforto com requinte.

Uma mulher que é trabalhadora incansável e gestora habilidosa

A mulher virtuosa é uma máquina para trabalhar. Não é um peso para o marido nem um rombo no orçamento familiar. Não considera o trabalho uma maldição nem a atividade doméstica incompatível com sua alta posição social. Vejamos o registro bíblico: *Atende ao bom andamento da sua casa e não come o pão da preguiça* (Pv 31.27).

Duas coisas nos chamam atenção aqui. A primeira delas é que a casa dessa mulher não é uma bagunça. Ela não ficaria envergonhada de receber uma visita de surpresa. Sua casa está em ordem. As roupas estão bem lavadas e passadas. As camas estão limpas e cheirosas. Os lençóis estão macios, e as roupas, engomadas. O chão está brilhando, e as paredes, bem pintadas. O jardim está engrinaldado de flores, e as servas, atendendo à agenda estabelecida. Muita gente confunde luxo com organização. Há casas que ostentam riqueza, mas são uma barafunda. É possível ter uma casa modesta, mas limpa, organizada e cheirosa. Uma mulher virtuosa sabe que seu lar deve ser um oásis no deserto, uma fonte no ermo, um ninho de aconchego nas doloridas jornadas da vida.

A segunda coisa que me chama a atenção nessa mulher é que "ela não come o pão da preguiça". Ela tinha servas para servi-la. Possuía recursos suficientes para receber tudo de mão beijada. Mas, não obstante toda essa fartura, não tinha mãos remissas para o trabalho. Sabia que, para ensinar os filhos, precisava dar exemplo. Sabia que, para governar sua casa, precisava estar com as rédeas nas mãos, dando a direção às suas servas. Hoje, mais de 70% das mulheres têm alguma atividade fora do lar. Essa é uma conquista moderna, mormente depois da Revolução Industrial. Porém, as mulheres jamais podem abrir mão do seu direito e dever de serem as gestoras de sua casa.

6

A
mulher nota 10
EM RELAÇÃO ÀS SUAS
ATIVIDADES FORA DE CASA

A mulher virtuosa é destacada em várias áreas da vida. Seus sentimentos, suas atitudes, suas palavras e suas ações em casa e fora do lar estão em total sintonia. Há uma coerência em sua vida e uma consistência em suas ações. Vamos destacar, agora, as virtudes dessa mulher fora dos portões. Já vimos seus atributos notórios dentro do lar, na sua relação com o marido e com os filhos. Já vimos como ela se relaciona consigo mesma e com o próximo. Já identificamos seu senso de valor e como cuida com zelo extremado de sua casa. Chamam-nos a atenção alguns aspectos dessa mulher também na sua lida fora de casa.

Uma mulher que, mesmo sendo rica, não se rende à indolência

O texto bíblico é eloquente: *Antes de clarear o dia ela se levanta...* (Pv 31.15, *NVI*). Ela é rica não porque herdou uma grande fortuna; é rica porque é empreendedora. Guindou uma alta posição social não porque recebeu tudo de mão beijada, mas porque tinha profundo tino administrativo e incomparável empenho no trabalho. O sucesso não é um acidente. É planejado. É fruto do esforço laborioso. É resultado do empenho associado à sabedoria. Essa mulher tinha servas que atendiam às suas ordens. Se quisesse, poderia dormir até tarde e viver de forma regalada. Porém, o sol não a surpreendia na cama. A preguiça não a alcançava com seus tentáculos. Era uma mulher guerreira. Uma batalhadora incansável. Era exemplo de dedicação ao trabalho para sua família e suas servas.

Somos informados que essa mulher não era indolente, mas trabalhadora. Não era hipersensível, mas guerreira. Não era amante do sono, mas comprometida com o trabalho. Não tinha medo de desafios, mas era audaciosa nos investimentos. Não se furtava ao trabalho, ainda que pesado, mas era diligente em sua atividade: *Nas mãos segura o fuso e com os dedos pega a roca* (Pv 31.19, *NVI*).

No passado distante do século 1, muitas mulheres ricas gostavam de curtir as roupas caras, os penteados elaborados e as joias extravagantes. Faziam disso a própria razão da vida (1Pe 3.3,4). Viviam no fausto e no luxo, mas de forma fútil. Desfilavam na passarela da vaidade, mas não construíam nada de positivo dentro do lar, muito menos fora dele. Faltavam-lhes a fibra e a têmpera dessa mulher. Ainda hoje, passados vinte séculos, ainda há muitas mulheres bonitas, muitas mulheres sofisticadas, muitas mulheres ricas, muitas mulheres cultas, mas escasseiam-se as mulheres que sejam um exemplo digno de ser imitado.

Uma mulher que tem ampla visão de negócios

O escritor bíblico compara essa mulher a um navio mercante que transportava as mercadorias de uma região para a outra, aquecendo o comércio, gerando rendas e divisas para os produtores e satisfação para os consumidores. Eis o texto bíblico: *Como os navios mercantes, ela traz de longe as suas provisões* (Pv 31.14, *NVI*). No mundo antigo havia portos estratégicos. Nesses portos, os navios mercantes chegavam trazendo os produtos de outras regiões e zarpavam levando os produtos da terra para outros destinos. Sem esses navios mercantes, a economia entraria em colapso, e o suprimento dos grandes centros urbanos seria impossível. Essa mulher virtuosa busca solução não apenas fora do lar, mas também além-fronteiras. Ela não apenas investiga campos para comprar nas proximidades da sua casa, mas também faz viagens além-mares para atender à demanda de sua casa. Essa mulher tem uma cosmovisão alargada da vida. Tem experiência internacional. Busca fora dos portões e dos limites da sua terra recursos para alavancar a economia da sua família.

Há uma declaração ousada acerca da capacidade gerencial dessa mulher: *Administra bem o seu comércio lucrativo, e a sua lâmpada fica acesa durante a noite* (Pv 31.18, *NVI*). Quem não tem tino administrativo, ainda que tenha um comércio lucrativo, não consegue fazê-lo crescer. Essa mulher tem capacidade de avaliação para fazer a melhor compra. Ela tem destreza para fazer os melhores investimentos. Ela tem habilidade para manter os negócios da família em constante crescimento. Ela administra bem o seu negócio lucrativo. Mais do que isso, ela é uma mulher antenada. Não se desliga. Sua lâmpada fica acesa durante a noite. Não baixa a guarda. Não se desatualiza. Mantém-se informada e atenta ao mercado.

A mulher virtuosa transforma a sua casa numa empresa lucrativa. Sua empresa familiar é uma fonte de riqueza. Ela não é apenas perita na produção, mas também tem larga experiência em escoar seus produtos. Ela sabe onde investir, como transformar seu investimento numa fonte de lucro. Ela pesquisa o mercado e trabalha com perícia para supri-lo. Vejamos o texto bíblico: *Ela faz vestes de linho e as vende, e fornece cintos aos comerciantes* (Pv 31.24, *NVI*).

Uma mulher que tem marido, mas sabe tomar suas próprias decisões

A mulher virtuosa tem independência para pensar e liberdade para agir. Seu marido não é um machista preconceituoso, nem ela é uma feminista rebelde. Seu marido não tem complexo de superioridade, nem é achatado pelo complexo de inferioridade. Confia na sua mulher e reconhece sua potencialidade. Essa mulher não descuida do marido nem dos filhos, mas não limita sua ação apenas ao âmbito familiar. Coloquemos nossos olhos no texto bíblico: *Ela avalia um campo e o compra; com o que ganha planta uma vinha* (Pv 31.16, *NVI*).

Ela sabe avaliar se o campo é bom e rentável. Ela sabe avaliar se o preço é justo e lucrativo para adquiri-lo. Ela sabe investir bem os recursos da família. Ela não compra passivo;

compra ativo. Ela não desperdiça dinheiro; investe-o. Ela compra um campo não para entregá-lo às urtigas, mas para plantar uma vinha. Faz novos investimentos, para ter novos rendimentos. Essa mulher é uma doutora em economia. Ela é atualizada. Conhece as leis do mercado. Tem noção acerca dos melhores investimentos.

O autor do livro *Pai rico, pai pobre* diz que a gestão sábia dos recursos é uma das principais diferenças entre uma pessoa rica e uma pessoa pobre. Os ricos investem em ativos; os pobres, em passivos. Os ricos compram aquilo que produz lucro; os pobres, aquilo que gera despesa. A mulher virtuosa não é um peso no orçamento familiar, mas uma geradora de recursos para a família. Em vez de ter uma mente criativa para gastar, dedica sua criatividade para alavancar recursos.

Depois da Revolução Industrial, no século 19, as mulheres entraram de vez no mercado de trabalho. Esse é um caminho sem volta. As mulheres têm uma vasta contribuição a dar. Vemos as mulheres presentes em todas as frentes da sociedade: na política, na educação, na ciência, na justiça, na indústria e no comércio. Elas estão na vanguarda. Conquistam cada vez mais espaço. Infelizmente, muitas delas, para galgar esses degraus, prescindem da família, terceirizam a administração do lar e não encontram mais tempo para se dedicarem ao casamento e à formação moral e espiritual dos filhos. O sucesso financeiro e a realização profissional, com isso, passam a ter um alto preço. É fato incontroverso que nenhum sucesso compensa o fracasso do casamento. Nenhum sucesso compensa a perda dos filhos. Nenhum sucesso compensa a desconstrução da família. Não podemos erguer o monumento de nossa realização pessoal sobre os escombros da nossa casa.

Por outro lado, há muitas mulheres que, pela fragilidade da estrutura familiar, são abandonadas pelo cônjuge e, como heroínas, assumem a liderança da família e se tornam as únicas provedoras do lar. Essas guerreiras anônimas são dignas dos nossos maiores encômios. Mesmo com o sacrifício da própria vida, não desistem dos filhos. Mesmo temperando o suor do rosto com as lágrimas cálidas, batalham fora do lar sem abandonar as próprias trincheiras domésticas.

7

A *mulher nota 10*
EM RELAÇÃO A DEUS

Essa mulher alçou voos altaneiros porque tinha raízes profundas. Ela foi bênção dentro de seu lar e fora dele porque era como uma árvore plantada junto à fonte. Como José do Egito, além de ser um ramo frutífero junto à fonte, ela estendeu seus galhos além dos muros (Gn 49.22). O alicerce de sua vida era o próprio Deus. Duas coisas nos chamam a atenção em relação a essa mulher: sua consciência de que a beleza física se esvai com o tempo e sua certeza de que a beleza interior se aperfeiçoa com o passar do tempo.

Na linguagem do apóstolo Paulo, na mesma medida que o nosso corpo se enfraquece, nosso espírito se fortalece. Nosso corpo se corrompe, mas nosso espírito se renova. Nosso corpo perde seu brilho, mas nosso espírito resplandece. Nosso corpo veio do pó, é pó e voltará ao pó, mas nosso espírito veio de Deus e volta para Deus. Não somos o que somos; somos o que fomos e o que havemos de ser. Porque viemos do pó e retornaremos ao pó, somos pó. Só Deus é quem é. Só Deus tem vida em si mesmo. Só Deus é autoexistente. Neste mundo somos transitórios. Não somos daqui. Nascemos de cima e retornaremos para lá. Precisamos buscar as coisas lá do alto. Precisamos lutar pelas coisas que não perecem.

Uma mulher que não se estriba em sua beleza física

A sociedade contemporânea supervaloriza o exterior. Vivemos a ditadura da beleza, a idolatria do corpo. As academias se multiplicam. O Brasil é campeão mundial em cirurgias plásticas. Somos deslumbrados com a aparência. Tentamos de todas as formas driblar as marcas da velhice e apagar as evidências indisfarçáveis do tempo. Gastamos rios de dinheiro para nos alimentarmos com o elixir da juventude. Manter a forma é uma coisa salutar; não aceitar as marcas do tempo é uma insensatez. A mulher virtuosa cuidava da saúde: *... seus braços são fortes e vigorosos* (Pv 31.17, *NVI*). A mulher virtuosa cuidava do seu interior: *Reveste-se de força e dignidade...* (Pv 31.25, *NVI*). A mulher virtuosa não fazia da sua beleza física o alicerce de sua vida: *A beleza é enganosa, e a formosura é passageira...* (Pv 31.30, *NVI*).

A beleza exterior sem beleza interior é como colocar uma joia no focinho de um porco. A beleza exterior sem um espírito manso e tranquilo não passa de futilidade. É casca sem cerne. É verniz em madeira cheia de cupim. A beleza física é enganosa, porque ninguém é feliz apenas por ser belo nem faz outra pessoa feliz apenas pela sua *performance* física. A formosura é passageira, porque o tempo é implacável. Vai esculpindo em nossas faces rugas indisfarçáveis. Nossas mãos ficam descaídas; nossos joelhos, trôpegos; e nossos olhos, embaçados. Dizem os entendidos que cada fio de cabelo branco que brota em nossa cabeça é a morte nos chamando para um duelo.

As pessoas que fazem da beleza física e da formosura a razão da sua existência desesperam-se com a chegada da fase outonal da vida. Quem investiu apenas em cosméticos sem cuidar do coração chega à velhice com um enorme vazio existencial. Quem fez da vida uma passarela para sua vaidade, ostentando apenas roupas de grife e joias caras, chega ao fim da vida como o personagem *Peer Gynt*, de Henrik Ibsen: sua vida é como uma cebola: só casca!

Uma mulher que faz de seu relacionamento com Deus a razão maior de sua vida

A mulher virtuosa é descrita como alguém que teme ao Senhor. ... *mas a mulher que teme ao Senhor será elogiada* (Pv 31.30b, *NVI*). O temor a Deus é a joia perdida na igreja contemporânea. A irreverência e a falta de respeito a Deus é uma marca registrada da nossa geração. Perdemos a admiração e a consideração por Deus. Mas nem sempre foi assim. O temor do Senhor estava presente no coração dos primeiros crentes. *Em cada alma havia temor...* (At 2.43). A igreja primitiva crescia e se edificava, porque caminhava no temor do Senhor e na consolação do Espírito Santo. Os crentes obedeciam ao mandamento: ... *temei a Deus...* (1Pe 2.17).

A palavra "temor" significa a qualidade positiva de respeito, reverência e piedade. Deus é o seu objeto: ... *seja ele o vosso temor...* (Is 8.13). Precisamos reconhecer a importância do temor a Deus, pois ele resume o sentido da vida: *De tudo o que se tem ouvido, a suma é: teme a Deus e guarda os seus mandamentos* (Ec 12.13). É o temor a Deus que faz a vida valer a pena. O temor a Deus é necessário na adoração, no serviço e na busca da santificação. O temor a Deus é importantíssimo para o crente, pois ele é seu tesouro, o princípio da sabedoria, a fonte de vida, aquilo que faz a diferença entre o justo e o ímpio.

O que é temer a Deus?

Primeiro, é andar com santo temor, sabendo que daremos contas da nossa vida a Deus. Aqueles que vivem despercebidamente, cuidando apenas do corpo e nada da alma, terão que comparecer perante o tribunal de Deus, de mãos vazias, sem vestes alvas, sem azeite na lâmpada, e essas pessoas ficarão de fora das bodas do Filho. Serão lançadas nas trevas exteriores, onde não há sequer uma gota de água de refrigério, nem uma palavra de consolo.

Segundo, temer a Deus é viver com discernimento diante das oportunidades e riscos da vida. A vida é cheia de oportunidades. Há portas abertas diante de nós. Precisamos entrar pelas portas que Deus abre e não forçar as portas que Deus fecha. Há riscos diante de nós: caminhos sinuosos e ladeiras escorregadias. Aquele que teme a Deus evita o mal, foge do pecado e não se imiscui no erro. José do Egito não foi para a cama do adultério com a mulher de Potifar porque temia a Deus. Neemias, o governador de Jerusalém, não se corrompeu como os outros governadores por causa do seu temor a Deus. A mulher virtuosa foi um estandarte para as gerações pósteras porque seu maior louvor estava no seu relacionamento com Deus.

Terceiro, temer a Deus é viver em santidade num mundo de impiedade. Quem teme a Deus não segue o caminho da maioria. Não se conforma com o mundo. Não ama o mundo nem as coisas que nele há. Quem teme a Deus não faz amizade nem parceria com o mundo. Quem teme a Deus procura agradá-lo e honrá-lo. Quem teme a Deus faz tudo para a glória de Deus. Quem teme a Deus, não busca aplauso dos homens nem perde sua alegria com as críticas dos homens. Quem teme a Deus não dicotomiza a vida em sagrado e profano, mas faz de toda a sua existência um culto de adoração a Deus.

Quarto, temer a Deus é subscrever os valores absolutos de Deus e rejeitar a ética relativa e situacional do mundo. O mundo não tem absolutos. Rejeita a verdade. Não tolera preceitos. Rende-se às vantagens imediatas. Curva-se às pressões e seduções do momento. Quem teme a Deus não vende sua consciência. Não transige com a verdade. Não aceita suborno nem entrega sua alma à avareza.

Quinto, temer a Deus é adotar uma mordomia responsável em todas as áreas da vida. A mulher virtuosa cuidou do marido, dos filhos, do próximo e de si mesma. Seu relacionamento com Deus pavimentou todos os outros relacionamentos. Sua vida era um reflexo de sua fé. Sua conduta, uma extensão de suas convicções espirituais. Porque temia a Deus, fazia tudo com excelência, sabendo que prestaria contas ao Senhor.

Sexto, temer a Deus é investir o melhor de si na vida dos outros, sabendo que a recompensa vem do Senhor. Essa mulher andou com Deus, por isso fez o melhor para as pessoas. Sua relação com Deus fez dela uma bênção para a família e a sociedade. Não buscava recompensa dos homens, mas recebeu seu galardão do próprio Deus!

A *mulher nota 10*
EM RELAÇÃO AO SEU VALOR E RECONHECIMENTO

A mulher de Provérbios 31 é um prodígio. Ela não é um mito nem apenas uma figura ideal sem concretude. É uma pessoa histórica, real, de carne e osso. Não obstante o texto retratar apenas suas perfeições, tinha certamente suas limitações. Duas coisas nos chamam atenção nessa mulher: seu valor e seu reconhecimento.

Uma mulher que tem um alto valor

Essa mulher é uma peça rara. Não é encontrada com facilidade. Encontramos com muita frequência mulheres belas, inteligentes, cultas, ricas e sofisticadas. Mas encontrar uma mulher que reúne em si mesma virtudes físicas e espirituais, intelectuais e emocionais, conhecimento e sabedoria, formosura e temor a Deus não é tão comum. Por isso, o texto abre suas cortinas com uma pergunta: *Mulher virtuosa, quem a achará?...* (Pv 31.10). Essa mulher é como uma pedra preciosa de alto valor. Esse tipo de preciosidade não se encontra em qualquer esquina. Quem encontra um tesouro assim, encontra o bem e achou a benevolência do Senhor. Essa mulher é um tesouro mais valioso do que muitas joias preciosas. Seu valor excede o de muitas riquezas.

Há muitos homens ricos, mas infelizes, porque não encontraram uma mulher desse jaez e dessa estirpe. Têm conforto, mas não têm paz, porque uma mulher imprudente destrói sua própria casa. Têm aventuras, mas não têm felicidade, porque a felicidade não está na efemeridade da beleza física, mas na perenidade da beleza interior.

A mulher virtuosa tem um valor inestimável. Ela edifica a sua casa e transforma seu lar num oásis no meio do deserto da vida. Como já afirmamos, os biógrafos de Abraham Lincoln, o décimo sexto presidente americano, dizem que a maior tragédia de sua vida não foi seu assassinato, mas seu casamento com Mary Todd Lincoln. Por ser uma mulher iracunda e ranzinza, crivava o marido com setas embebidas de veneno. Assacava contra ele as palavras mais ferinas. Colocava-lhe apelidos os mais desprezíveis. Destemperada emocionalmente, fazia da vida do marido um inferno existencial. A mulher sábia edifica sua casa, transforma seu lar num ninho cálido de afeto e num recanto seguro onde viver.

Uma mulher que é reconhecida e elogiada

Toda semeadura tem uma colheita. Colhemos o mesmo que plantamos e mais do que plantamos. Quem planta amizade, colhe amizade. Quem semeia amor, colhe amor. Quem espalha a semente do respeito, colhe honra. Essa mulher investiu no marido, nos filhos e no próximo, e agora está recebendo elogios efusivos do marido, dos filhos e de suas obras. Destacamos, aqui, as quatro fontes de elogios que ela recebeu:

Primeiro, ela foi elogiada pelo marido. O marido não faz apenas um elogio indireto, reconhecendo diante de seus amigos, o valor de sua mulher. Ele olha nos olhos dela, para dizer: *Muitas mulheres procedem virtuosamente, mas tu a todas sobrepujas* (Pv 31.29). Esse elogio é pessoal e direto. Porque essa mulher fez bem a seu marido todos os dias da sua vida, agora o marido retribui esse cuidado com os mais efusivos encômios. Sentir-se valorizado é uma necessidade vital da alma. Todos nós precisamos nos sentir amados e valoriza-dos. Não há casamento saudável onde escasseia o elogio. Um elogio vale mais do que mil críticas. O amor deleita-se em promover a pessoa amada. Essa mulher semeou amor, e agora está colhendo cálidos elogios. O bem que ela fez a seu marido está caindo sobre sua própria cabeça.

Segundo, ela foi elogiada pelos filhos. O texto bíblico é eloquente: *Levantam-se seus filhos e lhe chamam ditosa...* (Pv 31.28). Porque essa mulher ensinou os filhos com sabedoria e bondade, agora recebe o retorno de seu investimento. Ela está bebendo o refluxo de seu próprio fluxo. Porque não amou mais um filho do que outro, todos os filhos estão unidos no mesmo ideal: enaltecer a mãe como uma mulher feliz!

Terceiro, ela foi elogiada por Deus. Diz o texto bíblico que ... *a mulher que teme ao Senhor, essa será louvada* (Pv 31.30). Essa mulher era conhecida na terra e no céu. Sua vida foi aprovada pelos homens e também por Deus. Tinha um relacionamento certo tanto na perspectiva horizontal como na perspectiva vertical. Tinha uma vida exemplar no lar e no trabalho. Tinha uma vida irrepreensível nas lides materiais e também nas coisas espirituais. Essa mulher era culta e rica, mas foi elogiada pelo seu temor a Deus. Tinha refinados dotes administrativos, mas foi enaltecida por Deus, pelo seu coração humilde. Era formosa e se apresentava com refinado bom gosto, mas foi destacada pela sua beleza interior.

Quarto, ela foi elogiada pelas suas obras. O texto bíblico conclui, mostrando que essa mulher foi elogiada também pelas suas obras. *Dai-lhe do fruto de suas mãos e de público a louvarão as suas obras* (Pv 31.31). Essa mulher fez muitas obras de bondade sem qualquer alarde, mas o reconhecimento de suas obras é público. O que ela fez em secreto é agora proclamado dos eirados. Porque foi um vaso de honra nas mãos de Deus dentro do seu lar e fora dele, agora está sendo aplaudida pelas suas próprias ações. Porque abençoou com generosidade os necessitados, agora suas obras estão resplandecendo como uma luz no topo de uma montanha, por todas as gerações!

Sua opinião é importante para nós. Por gentileza, envie seus comentários pelo e-mail editorial@hagnos.com.br

UNITED PRESS
um selo editorial hagnos

Visite nosso site: www.hagnos.com.br

Esta obra foi impressa na Imprensa da Fé.
São Paulo, Brasil.
Verão de 2015